D0986126

ALFAGUARA

ALFAGUARA INFANTIL

ALFAGUARA M.R.

UNA BICICLETA PARA EL COCODRILO

D.R. © del texto: DAVID MARTÍN DEL CAMPO
D.R. © de las ilustraciones: GERARDO CUNILLÉ V.

D.R. © de esta edición:
Santillana Ediciones Generales, S.A. de C.V., 2011
Av. Río Mixcoac 274, Col. Acacias
03240, México, D.F.

Alfaguara es un sello editorial del **Grupo Prisa.**
Éstas son sus sedes:

ARGENTINA, BOLIVIA, CHILE, COLOMBIA, COSTA RICA, ECUADOR, EL
SALVADOR, ESPAÑA, ESTADOS UNIDOS, GUATEMALA, MÉXICO, PANAMÁ,
PARAGUAY, PERÚ, PUERTO RICO, REPÚBLICA DOMINICANA, URUGUAY Y
VENEZUELA.

Primera edición: noviembre de 2011
Segunda reimpresión: mayo de 2012

ISBN: 978-607-11-1536-2

Impreso en México

Una bicicleta para el cocodrilo

David Martín del Campo
Ilustraciones de Gerardo Cunillé V.

ALFAGUARA

Ese día era el cumpleaños del cocodrilo. Estaba
celebrando solo pues tenía muy mal genio y pocos
amigos. Sin embargo estaba tranquilo y canturreaba:
"Feliz cumpleaños a mí; feliz cumpleaños a mí…"
En eso alguien llamó a la puerta. "¿Quién podrá ser?",
se dijo. "Yo no invité a nadie". Al abrir se encontró
con un mensajero. Llevaba un enorme paquete.

Alguien le había enviado un regalo. El cocodrilo se puso feliz al desenvolverlo. ¡Era una bicicleta! Pero nuestro amigo no tenía una idea muy clara sobre la utilidad de aquello. "¿Quién me lo habrá mandado?", se preguntó con extrañeza. Luego observó el obsequio y se dijo: "Mmh, ¿para qué podrá servir?".

La verdad era que el cocodrilo nunca había visto nada semejante. Lo estuvo observando un rato, lo movió para acá, para allá. "Mmh, ¿para qué servirá?" No se le ocurría nada. De pronto adivinó el secreto de aquel misterioso regalo. "¡Es un sombrero!", así que lo colocó sobre su cabeza. "Ya lo sabía... esto es un *sombrerociclo*", y comenzó a pasearse muy presumido.

Sin embargo el gusto le duró muy poco. Momentos después el cocodrilo tropezó y aquello se le vino encima. "¡Auch!", gritó al dar contra el piso. Qué catorrazo. Sólo a alguien tan atolondrado se le podía ocurrir ponerse una bicicleta en la cabeza. Entonces nuestro amigo notó algo extraño. Al caer aquello había soltado un sonido, "¡riiin!", como campanita.

"Ah, ya entiendo", se dijo el cocodrilo. "Esto es un *tempocampanillo* y sirve para dar la hora". Comenzó a tocar el timbre de la bici: "¡rin, rin, rin!". Entonces miró su reloj y esperó a que las manecillas marcaran la hora. En ese momento pulsó dos veces el timbre del manubrio… "¡rin, rin!", porque eran las dos de la tarde. Estaba feliz, ¡por fin había descubierto para qué servía ese armatoste!

A partir de ese momento el cocodrilo ya no soltó su *tempocampanillo*. Permanecía muy atento a las manecillas del reloj. Cada vez que el minutero completaba una vuelta, nuestro amigo indicaba la hora con el timbre. "¡Rin, rin, rin!" cuando daban las tres. "¡Rin, rin, rin, rin, rin, rin!" cuando daban las seis. Así se pasó toda la tarde…

…y lo mismo durante la noche y el día siguiente. Ahí
estaba con su "¡rin, rin, rin!" a cada rato. Su nuevo
oficio era marcar todas las horas. No podía distraerse.
No tenía tiempo para comer, para dormir, para nada.
Era el guardián de los relojes del mundo. "Para eso me
regalaron este fabuloso instrumento." Y bostezaba y
bostezaba muerto de sueño.

Dos días después el cocodrilo estaba agotado. Ya no podía más. Aquello era una tontería, así que decidió deshacerse del famoso *tempocampanillo*. Se lo obsequiaría al primero que encontrase. ¡No iba a pasarse la vida tocando ese ridículo timbre! "Ahuuum… qué sueño", masculló al llamar a la puerta de su vecina.

La ardilla permaneció examinando aquel objeto. Lo olfateó y no le olió a nada. Le hizo cosquillas pero no se movió. Le pellizcó una rueda. Y nada. ¿Cuál era el secreto de aquel misterioso regalo? "De seguro que debe servir para algo", se dijo, y empezó a pasearse a su alrededor. "Tch, tch, tch", musitó. "La clave está en las ruedas".

Con grandes esfuerzos, la ardilla logró voltear aquel
regalo inesperado. Luego de apoyar el asiento contra
el piso, descansó el codo en una de las ruedas…
Entonces ésta dio un giro. "Ajajá", se dijo, "ya descubrí
el truco. ¡Se trata de un aparato de ejercicios!". Y saltó
sobre la bici.

La rueda comenzó a girar con el impulso. Guardando el equilibrio en lo alto, la ardilla caminó sobre aquella pista circular. Luego anduvo más rápido y la rueda giró más deprisa. Después trotó y la rueda igual, rodó con más velocidad. La ardilla corría muy divertida mientras el juguete giraba como enloquecido… "fizzzzz".

"¡Esto es una *ciclopista-gimnástica*!", se dijo nuestra amiga mientras corría sobre ese carrusel. ¡Qué emocionante! Era mucho más divertido que saltar por las ramas de los árboles. De pronto la ardilla sintió que le faltaba el aire. Ya no podía más. Tenía que acabar con aquel juego, así que gritó: "¡Basta!". Y se paró en seco.

¡Zuuuuumm!, la ardilla salió disparada como flecha.
Fue a dar a cien metros de la bici. Cayó, rebotó, rodó
mientras iba gritando, "¡auch, auch, auch!". Cuando
acabó el traqueteo, la pobre ardilla se consoló: "De
cualquier modo, ha sido un excelente ejercicio".
Al levantarse le dolía todo. Veía estrellas flotando
alrededor.

¿Para qué arriesgar el pellejo? "Esto, definitivamente, no es para mí", se dijo nuestra amiga. "Es el momento de regalar esta peligrosa catapulta". Así que enderezó aquella *ciclopista-gimnástica* y la transportó hasta la casa de su vecino. "Recibe esta sencilla cortesía", le dijo. "De seguro te va a encantar".

"Qué buena amiga es la ardilla", se dijo el orangután
al despedirse de su vecina. "Muchas gracias, muchas,
muchas gracias." El orangután no salía de su asombro.
Qué regalo tan fantástico. Lo balanceaba entre las
manos, estaba como hipnotizado. Un obsequio
primoroso… "Pero", pensó, "¿para qué podrá servir?".

El orangután vivía en lo alto de un frondoso árbol.
Trató de subir con aquel regalo, pero pesaba mucho.
No pasó de la primera rama, así que estuvo
columpiándose un rato. "¿Para qué rayos podrá
servir?", pensaba. Luego se cansó y se detuvo.
Tarde o temprano descubriría la utilidad de ese
objeto. "¡Ah, claro!", se dijo al sentarse. "¡Pero qué
tonto he sido!"

"¡Mmh!, debe de ser un delicioso caramelo. Me lo voy a comer." Entonces el orangután mordió una de las ruedas. "¡Ay… pero qué dulce tan duro!", se quejó. ¿Le habría tomado el pelo su vecina? Volvió a morder aquello, esta vez con menos fuerza, y le supo raro: a hule, a metal, a nada que pudiera comerse. "No, esto no es un caramelo. ¿Entonces, qué es?"

El orangután sentía que lo habían engañado. Estaba
furioso. ¿Cuál era el secreto de ese objeto tan extraño?
Lo alzó con fuerza y por fin descubrió el gran misterio:
"Esto es una *ciclopesa* y sirve para ejercitar los
músculos." No lo pensó dos veces. De inmediato
inició su primera rutina de ejercicios. Desde abajo,
¡uno!, hasta arriba de la cabeza, ¡dos!

No era muy sencillo, pero sería la mejor manera
de ponerse fornido, igual que los fortachones de
las revistas. "¡Uno-dos!", exclamaba cada vez que
levantaba la *ciclopesa*. Estaba muy contento. Iba a ser
el orangután más fuerte del mundo. ¡Claro que sí! Y
siguió un buen rato con el ejercicio: "¡Uno-dos,
uno-dos, uno-dos!".

Cuando se cansó con los brazos, tocó turno a las
piernas. "Debo ser un atleta completo", pensó el
orangután, así que se recostó para practicar con los
muslos. Notó que el aparato se balanceaba, pero se
dijo: "Todos los deportes tienen su riesgo". Y vaya
que el ejercicio era pesado. "¡Uno-dos!, ¡tres-cuatro!",
y de pronto la *ciclopesa* empezó a inclinarse…

¡CATAPLUM! En un instante de distracción el
cacharro se le vino encima. "¡Ay, ay, ay!", se quejaba.
"Me duele todo". El atleta había sido vencido por la
fuerza de gravedad. ¿O en qué se equivocó? Ese
aparato servía para algo, para otra cosa, de eso estaba
seguro. Sólo que no iba a ser él quien se encargase de
averiguarlo.

"Lo que importa en la vida es quitarse de problemas",
se dijo el orangután apenas despertar. Era lo que había
estado pensando toda la noche. "Esta *ciclopesa* no es
para mí", así que resolvió deshacerse del armatoste. Se
arregló un poco y fue a visitar a su vecino. "Querido
amigo", le dijo luciendo su mejor sonrisa. "Mira, aquí
hay algo para ti".

"Muchas gracias", fue todo lo que dijo el zorrillo. Más tarde, cuando estuvo solo, comenzó a repetirse: "Qué maravilla, qué maravilla… Pero, ¿para qué servirá?". Alzó las garras y sujetó una de las ruedas. "Nunca había mirado un círculo tan perfecto", se dijo con admiración. "Un círculo tan redondo", aunque… ¡todos los círculos son redondos! "Qué tonto soy".

Entonces el señor zorrillo descubrió que la rueda
delantera se podía mover con facilidad. A izquierda, a
derecha, y se puso a imaginar el provecho que podría
darle a ese mecanismo. Lo observó detalladamente y
una vez más empujó la rueda. Luego la regresó a su
posición inicial. "Mmh, qué interesante", se dijo sin
soltarla. "Qué interesante".

Y como estaba construyendo su casa, el zorrillo
planeó utilizarla como reja. La colocó justo delante
de la entrada. Empujaba la rueda, y la reja se abría;
la jalaba, y se cerraba. ¡Su hogar iba a tener una
puerta extraordinaria! "Una casa sin puerta no es una
casa", se dijo nuestro amigo, "y una puerta sin casa no
abre a ninguna parte".

31

Por fin tenía completa su casa. El zorrillo se acostó muy satisfecho pues aquella puerta funcionaba también como ventana. A través de ella se podía mirar hacia fuera. "Qué magnífica reja me han obsequiado", se dijo al bostezar. "Ésta es una estupenda *ciclo-rejona*". Y se quedó al fin dormido.

Un día hizo mucho calor. El sol entraba por la *ciclo-rejona* y el zorrillo no sabía qué hacer. Calor, calor y más calor. Aquello se estaba poniendo insoportable. La puerta de la casa, de tan despejada, no obstruía el paso de los rayos del sol. El zorrillo se desesperaba. Aquel invento ya no era la gran maravilla.

33

Otro día hizo mucho frío. Ya se acercaba el invierno. La *ciclo-rejona* tampoco servía para detener aquel viento helado. El zorrillo se pasó toda la noche temblando. "¡Brrr, brrr!…" Le castañeaban los dientes, daba saltos para desentumirse, gruñía malhumorado. No pudo dormir.

Una tarde llovió mucho. La tormenta fue tremenda
y la *ciclo-rejona* dejó pasar las rachas de agua, viento y
granizo. Además el paraguas no le servía de gran cosa.
El zorrillo quedó empapado, estaba enojadísimo. Se
sacudía a cada rato salpicándolo todo. "No es posible,
no es posible", se repetía desconsolado. Y es que
odiaba bañarse.

"Esto no es para mí", concluyó el zorrillo después del desastre. Así fue como resolvió desprenderse de aquel artefacto que no servía para nada. "Una puerta es una puerta, y una puerta verdadera es lo que yo necesito", se dijo al fin. Cargó la pesada *ciclo-rejona* y se encaminó hacia la casa de su vecina.

Doña ratona quedó fascinada con el obsequio. "Soy la persona más feliz del mundo", se dijo al contemplar aquel objeto tan impresionante. Hasta donde recordaba, nunca nadie le había regalado nada en la vida. Ni en la Navidad, ni en su cumpleaños. Nunca, nunca, hasta ese día.

Doña ratona escaló hasta lo alto de aquel singular instrumento. Estuvo curioseando alrededor de las ruedas, los tubos, el manubrio. "Qué cosa tan extraña me han regalado", se dijo. "¿Para qué podrá servir?" Así permaneció un rato, piense y piense, hasta que de pronto gritó: "¡Ah, ya sé!", y fue por sus hijos en busca de ayuda.

Doña ratona dijo a sus pequeños: "Está de cabeza, así no puede servir". Minutos después, empujando entre todos, lograron ponerla con las ruedas hacia arriba. "Ahora sí, ya quedó como debe ser", y mandó a jugar a los ratoncitos mientras ella terminaba sus quehaceres.

Una hora después doña ratona estaba tendiendo la ropa
que había lavado. Para ello utilizaba los rayos de las
ruedas. Estaba feliz por su original *ciclosecadora*, pues
nadie más poseía una así. Colgó camisas y camisetas,
calzones y pantalones, calcetines, faldas y pañuelos.
Empezó a tararear una cancioncilla de cuando era niña.

40

La *ciclosecadora* estaba repleta de ropa. La verdad, doña ratona estaba muy contenta por haber descubierto el secreto de aquel cacharro. El sol brillaba en lo alto y ella no tenía más que esperar. Después la brisa sopló y las ruedas, con toda aquella ropa encima, comenzaron a girar con lentitud. Parecían banderas de mil países.

Por fin llegó el momento de retirar la ropa. Lo que
seguía era llevarla a casa y plancharla. Doña ratona
estaba descolgando las prendas cuando de pronto la
rueda dio un medio giro… La pobre ratoncita quedó
ahí colgada. Empezó a lanzar gritos desesperados:
"¡Auxilio, ayúdenme!".

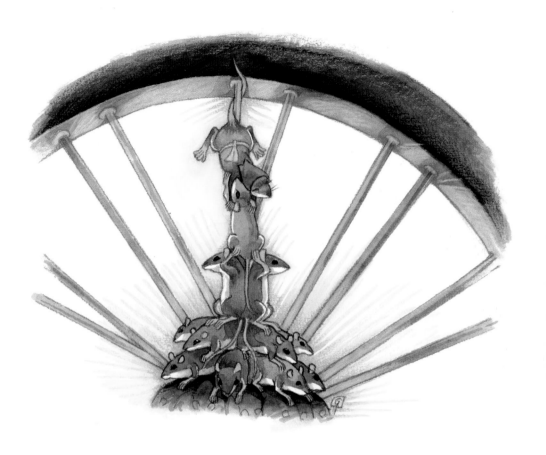

Sus hijos acudieron prestos a socorrerla. "¡Cuidado!
¡No se vaya a caer!" Entre todos formaron una escala y
la ayudaron a descender. Doña ratona renegó de aquel
invento suyo: "¡Qué *ciclosecadora* ni qué nada! Ya no la
quiero". Tenía razón. Aquel armatoste no servía para
nada, y encima era muy peligroso.

Decidieron deshacerse de la famosa *ciclosecadora*. A lo mejor había alguien que le pudiera dar un uso más conveniente. Doña ratona organizó a sus hijos. Con varias cuerdas trasladaron aquella trampa hasta la casa de su vecina. "Uno-dos, jalen… Uno-dos, jalen… Uno-dos, jalen…"

La cigüeña quedó turulata. Contemplaba aquel presente
con asombro. "Mmh, qué interesante", se dijo. "Es el
objeto más raro que jamás haya visto." Luego razonó:
"Triángulos y círculos; nada puede resultar de esa
mezcolanza". Sin embargo estaba como hechizada
con el regalo. "Aunque no debe de servir para nada",
se dijo.

La cigüeña permanecía muy intrigada. ¿Cuál era el secreto que encerraba aquel sorprendente regalo? Sujetó uno de los pedales y comenzó a darle vueltas. El mecanismo soltó entonces un murmullo: "rrr-r-r-r-r..." El pajarraco se detuvo. "¡Ah, debe ser una máquina de ruido!", adivinó en voz alta. "¡Una *turbo-ruedeti*!". Sí, pero, ¿ruido para qué?

Luego decidió colocarle esferas y luces de colores, al fin que la temporada navideña estaba próxima. Pero no, aquel objeto no servía para alegrar la casa. Además se veía muy ridículo. "No, no, no…", insistió la alborotada cigüeña. "Hay que buscarle por otro lado".

Nuestra amiga se había obsesionado con su
turbo-ruedeti. Le amarró la manguera del jardín, abrió la
llave de agua y observó. El chorro saltaba por encima
de la bicicleta y mojaba todo. La cigüeña contempló
aquello en silencio. "No", se dijo, "tampoco funciona
como fuente".

"¿Servirá acaso para tomar el sol?" La cigüeña imaginó
que de seguro ése era el secreto. Así que acomodó la
turbo-ruedeti sobre el pasto y se recostó encima como si
fuera un sillón de playa. No era precisamente cómoda
y muy pronto los pedales comenzaron a lastimarla.
"No", concluyó nuestra locuaz amiga, "para eso
tampoco sirve".

La dejó abandonada fuera de casa. Tal vez así encontraría su verdadera función. Una tarde, cuando el sol proyectaba las últimas sombras, la cigüeña creyó descubrir el gran secreto: "¡Claro! ¡Es una escultura moderna!", gritó. De modo que para eso servía: para dejarla en el patio y que todos preguntaran para qué servía eso que no servía para nada.

Una mañana la cigüeña salió de casa. Iba muy distraída y por eso tropezó con la *turbo-ruedeti*. Se dio un tremendo porrazo. "¡Ay, ay, ay!", se quejó. "Sólo a mí se me ocurre tener esa cosa ahí tirada." Estaba furiosa. Lo que más disgusto le causaba era no haberle encontrado provecho a ese cachivache.

Qué lata. Había que renunciar a ese objeto tan peligroso, y llevar la famosa *turbo-ruedeti* al basurero municipal. "Ya no la quiero, no sirve para nada, ojalá nunca me la hubieran dado", se dijo con tristeza. Había que desprenderse de aquel misterioso artefacto. "No", se corrigió la cigüeña en el último instante. "Mejor se la regalo al primero que encuentre."

A la vuelta de la esquina la cigüeña se topó con Toño.
"Mira, te regalo… esto", le dijo. "Y discúlpame, porque
ni sé lo que es, ni sirve para nada". El niño sólo pudo
decir: "Muchas gracias". Apenas podía respirar de la
emoción. Estaba como en otro planeta.

Una bicicleta. "¡Es lo que siempre he querido!" El niño
no sabía qué hacer con aquel regalo entre las manos.
Era de no creerse. Sí: dos ruedas, un manubrio, el
asiento y los pedales. Era el día más feliz de su vida.
¡Una bicicleta!

¡A pasear! Toño se fue muy contento. "¡Rin, rin, rin!",
iba tocando el timbre por todo el barrio. ¡Una bicicleta!
"¡Rin, rin! ¡Qué alegría! ¡Rin, rin, rin, rin!"

David Martín del Campo

Cursó la carrera de Comunicación y realizó estudios de Cinemato-
grafía en la Universidad Nacional. Es autor de más de veinte novelas.
En 1990 obtuvo el Premio Internacional Diana de Literatura. Tiene
publicados varios libros infantiles que han sido constantemente
reeditados. Entre ellos cabe mencionar *El tlacuache lunático y otros
cuentos, El hombre del Iztac* (Premio Juan de la Cabada de Literatura Infantil, 1997), *Tú no existes, Las aventuras de Perripollo, Zum-zum
la mosca, Lú* y *Doña ballena va al zoológico.* Es uno de los escrito-
res mexicanos más sobresalientes de su generación.

Gerardo Cunillé V.

Estudió Arte Editorial en la Escuela Nacional de Artes Plásticas, de
la UNAM. Ha ejercido el diseño y la ilustración editorial en diversas
empresas e instituciones educativas. En 1987 ilustró la primera
edición de *El tlacuache lunático (y otros cuentos)* de David Martín
del Campo. Además de su desempeño gráfico, es melómano jazzis-
ta, fotógrafo y aficionado a los perros, asegura.

Este libro se terminó de imprimir en el mes de
mayo de 2012, en Edamsa Impresiones S.A. de C.V.
Av. Hidalgo No. 111, Col. Fracc. San Nicolás Tolentino C.P. 09850,
Del. Iztapalapa, México, D.F.